Para Flor

Andrés caminaba distraído por el jardín de su abuelo.

Se preguntaba si prefería ser tan alto como un fresno
o tan pequeño como una hoja de hierba.

Tan trabajador como una hormiga
o tan glotón como una oruga.

El abuelo lo llamó para que entrara a la casa
a jugar con él.

En la biblioteca, frente a un mapa,
le propuso su juego favorito.

—Abuelo, ¿a dónde preferirías ir, a Escocia o a Mongolia?

El abuelo, que había estado en todos lados, le dijo:

—En una ocasión me salvé de naufragar frente a las costas escocesas, bordeando en una goleta los acantilados contra los que rompe un furioso y verde mar.

—Estuve en Mongolia, en donde el Aga Khan me llevó
a montar a la estepa. Ahí sopla un fuerte viento que al llegar
a lo alto de las montañas queda atrapado en el hielo.

Andrés siguió preguntando:

—¿A la India o a la isla de Pascua?

—En el Punjab, al norte de la India, fui invitado por el Maharajá de Pathiala a admirar de cerca un tigre de Bengala.

–Cuando visité la isla de Pascua parecía desierta,
  pero no me sentí solo porque las estatuas gigantes
  me hicieron muy buena compañía.

—A ver, abuelo, ¿el Congo o Rusia?

—En el Congo formé parte de la expedición del Capitán Burton.
Un día, bajo la sombra de un árbol, aprendí de unos amables aldeanos
sobre las peligrosas serpientes que allí habitan.

–Cerca de Petropavlosk, en la península
 de Kamchatka, en el extremo oriental de Rusia,
 bajé del tren para conseguir comida.
 En un lago congelado atrapé un pez, pero no me lo comí yo.

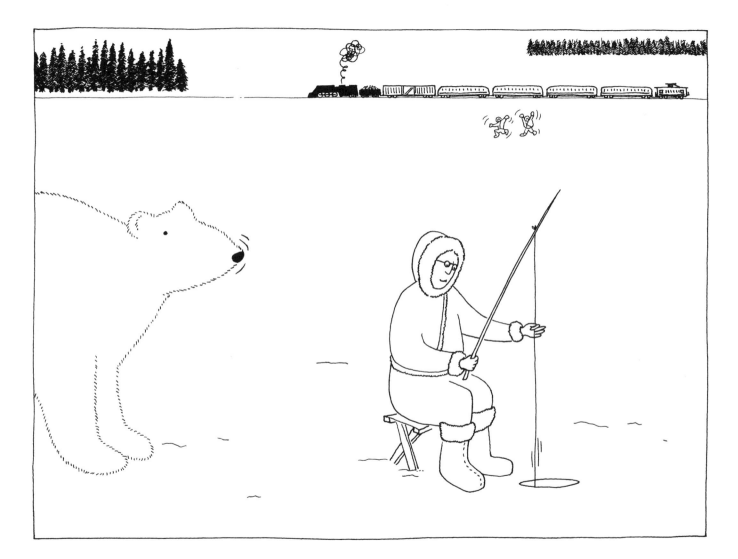

–¿Y entre Irán y Ucrania?

–Perdido en el desierto de Kavir, un sultán me rescató
  y me llevó a recuperarme a un oasis.

–Partí de Egipto en un barco maltés hacia Sebastopol,
 en la península de Crimea, en Ucrania.
 Sobre ese barco, el Nadur, conocí a tu abuela.

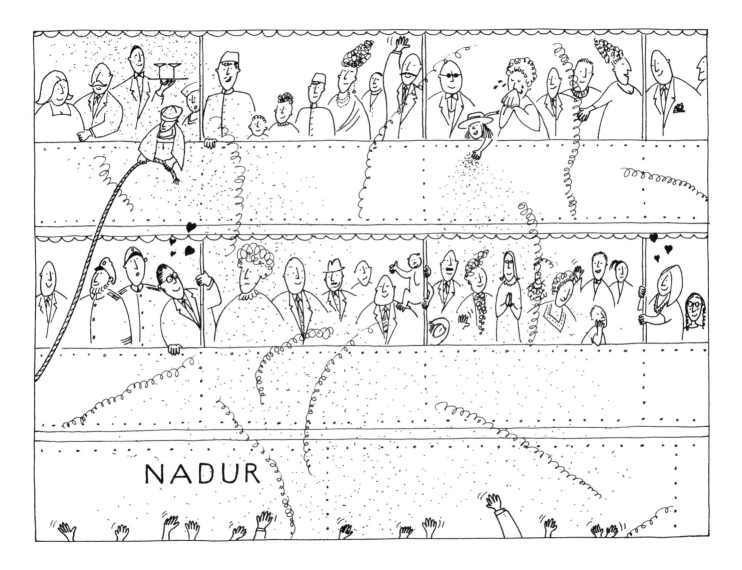

Ya iba a escoger Andrés otros dos lugares,
cuando el abuelo lo interrumpió:
—Ahora te toca escoger a ti. ¿Tú que prefieres: Tanzania o Nepal?
—Pues no sé, abuelo —contestó Andrés pensativo—.
Lo que sí sé es que el mundo es muy, muy grande…

KLK, 2010 - Italia 37 - 36162 Pontevedra
Telf.: 986 860 276
quitapenas@mundo-r.com
www.faktoriakdelibros.com

Impreso en C/A Gráfica, Vigo
Primera edición: agosto, 2010
ISBN: 978-84-96957-89-3
DL: PO 366-2010